鍾繇小楷

中國碑帖名品〔二十二〕

上海書畫出版社

前言

中華文明綿延五千餘年，文字實具第一功。從倉頡造字而雨粟鬼泣的傳説起，歷經華夏子民智慧聚集、薪火相傳，終使漢字生生不息、蔚爲壯觀。伴隨著漢字發展而成長的中國書法，基於漢字象形表意的特性，在一代又一代書寫者的努力之下，最終超越其實用意義，成爲一門世界上其他民族文字無法企及的純藝術，并成爲漢文化的重要元素之一。在中國知識階層看來，書法是中國人『澄懷味象』、寓哲理於詩性的藝術最高表現方式，她净化、提升了人的精神品格，歷來被視爲『道』『器』合一。而事實上，中國書法確實包羅萬象，從孔孟釋道到各家學説，從宇宙自然到社會生活，中華文化的精粹，在其間都得到了種種反映，書法無愧爲中華文化的載體。書法又推動了漢字的發展，篆、隸、草、行、真五體的嬗變和成熟，源於無數書家承前啓後、對漢字美的不懈追求，多樣的書家風格，則愈加顯示出漢字的無窮活力。那些最優秀的『知行合一』的書法家們是中華智慧的實踐者，他們彙成的這條書法之河印證了中華文化的發展。

因此，學習和探求書法藝術，實際上是瞭解中華文化最有效的一個途徑。歷史證明，漢字及其書法衝破了民族文化的隔閡和時空的限制，在世界文明的進程中發生了重要作用。我們堅信，在今後的文明進程中，這一獨特的藝術形式，仍將發揮出巨大的力量。然而，在當代這個社會經濟高速發展、不同文化劇烈碰撞的時期，書法也遭遇前所未有的挑戰，這其間自有種種因素，而漢字書寫的退化，或許是書法之道出現踟躕不前窘狀的重要原因，因此，有識之士深感傳統文化有『迷失』、『式微』之虞。書法藝術的健康發展，有賴對中國文化、藝術真諦更深刻的體認，彙聚更多的力量做更多務實的工作，這是當今從事書法工作的專業人士責無旁貸的重任。

有鑒於此，上海書畫出版社以保存、還原最優秀的書法藝術作品爲目的，承繼五十年出版傳統，出版了這套《中國碑帖名品》叢帖。該叢帖在總結本社不同時段字帖出版的資源和經驗基礎上，更加系統地觀照整個書法史的藝術進程，彙聚歷代尤其是今人對不同書體不同書家作品（包括新出土書迹）的深入研究，以書體遞變爲縱軸，以書家風格爲横綫，遴選了書法史上最優秀的書法作品彙編成一百册，再現了中國書法史的輝煌。

爲了更方便讀者學習與品鑒，本套叢帖在文字疏解、藝術賞評諸方面做了全新的嘗試，使文字記載、釋義的屬性與書法藝術造型、審美的作用相輔相成，進一步拓展字帖的功能。同時，我們精選底本，并充分利用現代高度發展的印刷技術，精心校核，原色印刷，幾同真迹，這必將有益於臨習者更準確地體會與欣賞，以獲得學習的門徑。披覽全帙，思接千載，我們希望通過精心編撰、系統規模的出版工作，能爲當今書法藝術的弘揚和發展，起到綿薄的推進作用，以無愧祖宗留給我們的偉大遺產。

上海書畫出版社

簡介

鍾繇（一五一至二三〇），字元常，潁川長社（今河南長葛東）人。三國時期曹魏著名政治家、書法家。官至太傅。魏文帝時與當時名士華歆、王朗並爲三公。在書法方面卓有造詣，他博採衆長，兼善各體，尤工楷書。書法古雅質樸，幽深淡宕。張懷瓘《書斷》中曰：『元常真書絶世，乃過於師，剛柔備焉。點畫之間，多有異趣，可謂幽深無際，古雅有餘。秦、漢以來，一人而已。』後世將其與王羲之並稱『鍾王』。

本册所選鍾繇小楷傳世僅存之九種，分别爲《宣示表》、《賀捷表》、《薦季直表》（三件）、《力命表》（兩件）、《墓田丙舍帖》（兩件）、《還示帖》、《白騎帖》、《常患帖》、《雪寒帖》。

册中所録《宣示表》、《賀捷表》、《力命表》、《還示帖》等四帖，前賢審爲《鼎帖》刻本，今依舊説。並《薦季直表》（單刻本）、《力命表》（《快雪堂帖》刻本）、《墓田丙舍帖》（《停雲館帖》刻本）、《白騎帖》、《常患帖》、《雪寒帖》，均爲垚年先生所藏。

《薦季直表》（《真賞齋帖》刻本）、《墓田丙舍帖》（翁方綱跋本）爲朵雲軒所藏。以上諸本均係首次原色全本影印。

《薦季直表》（唐宋時期摹本）爲上世紀王壯弘先生發現之民國時所攝照片，摹本原件已毁，僅存此舊照於世。今一並收録，彌足珍貴。

宣示表

宣示：公佈。此處指尚書省將孫權的上書和曹丕初擬的詔書遍示群臣，徵詢意見。

逯：此同『逮』。

阿是：代詞，指當前所擬定的詔書。

蒭：『蒭』字的變形，『蒭』是『芻』的俗字。芻蕘：割草採薪。芻蕘之言：即割草採薪之人的言談，指普通百姓的淺陋言辭，後引申作講話者的謙詞。

郎：通『廊』。廊廟：指國家的執政者。『芻蕘之言，可擇廊廟』，表示鄉野之人的淺陋之詞，也可供國家的執政者參考採納。

眄睨：斜視，表示輕慢。横所眄睨：目空一切。

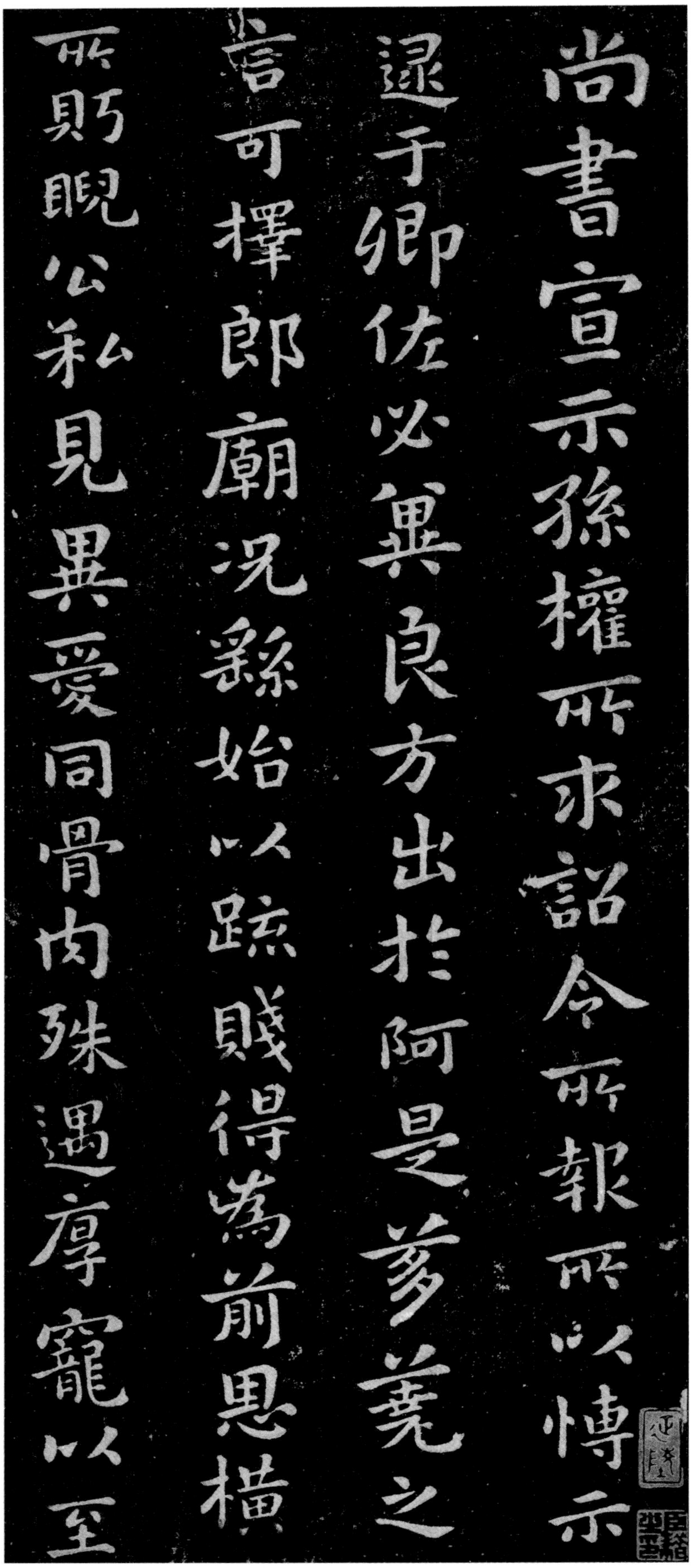
尚書宣示孫權所求詔令所報所以博示
逯于卿佐必冀良方出於阿是蒭蕘之
言可擇郎廟況繇始以疏賤得爲前恩横
所眄睨公私見異愛同骨肉殊遇厚寵以至

【《鼎帖》刻本】尚書宣示，孫權所求，詔令所報。所以博示，／逯於卿佐。必冀良方，出於阿是。蒭蕘之／言，可擇郎廟。況繇始以疏賤，得爲前恩，横／所眄睨。公私見異，愛同骨肉。殊遇厚寵，以至／

今日。再世策名，同國休戚。敢不自量，竊致愚／慮。仍日達晨，坐以待旦。退思鄙淺，聖意所／棄，則又割意不敢獻聞。深念天下今爲已平，／權之委質，外震神武。度其拳拳，無有二計。高／

策名：指因仕宦而獻身於朝廷。再世策名：兩代爲官。指鍾繇本人和其子均在朝爲官。

休戚：喜樂和憂慮，泛指彼此間的憂喜禍福互相關聯。

委質：臣服，歸附。

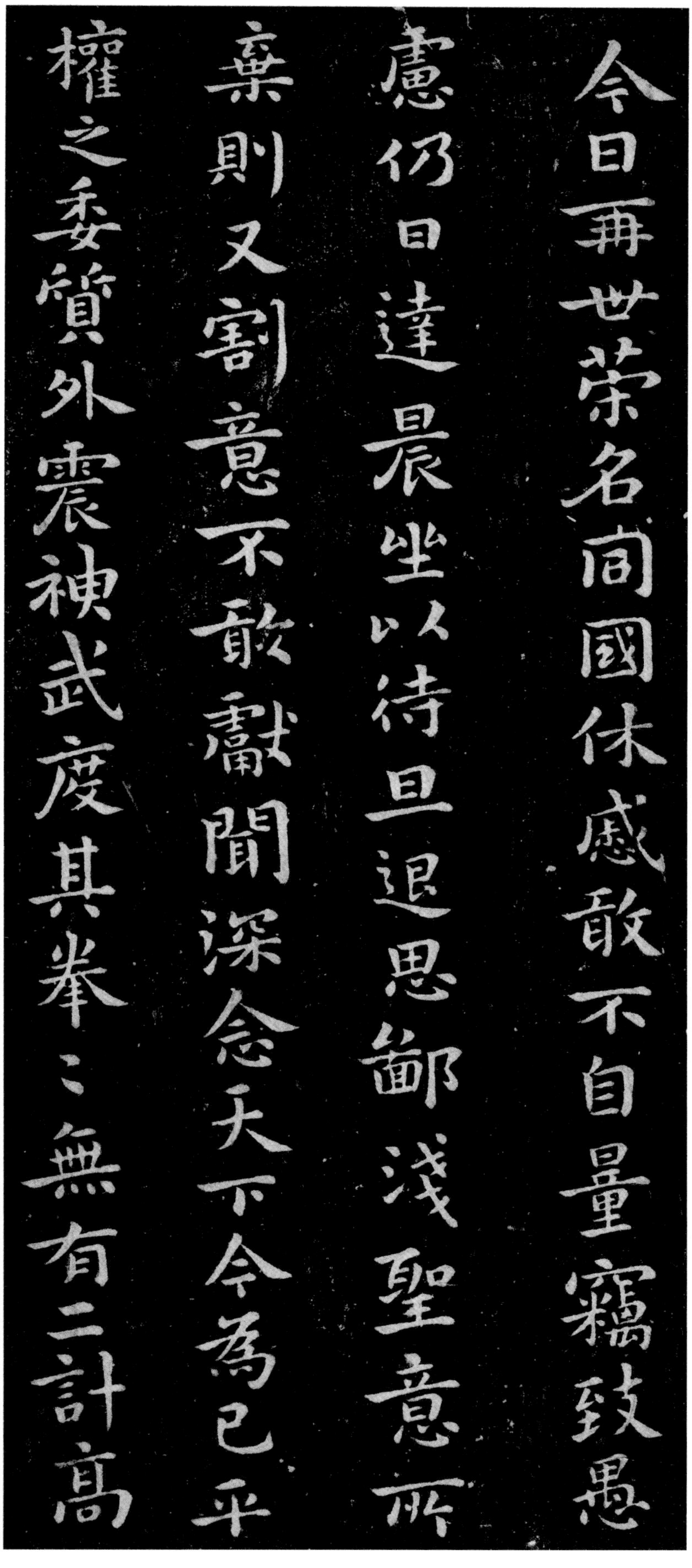

尚自踈況未見信今推款誠欲求見信實懷
不自信之心亦宜待之以信而當護其未自信也
其所求者不可不許許之而反不必可與求之
而不許勢必自絕許而不與其曲在己里語

尚自疏，況未見信。今推款誠，欲求見信，實懷/不自信之心。亦宜待之以信，而當護其未自信也。/其所求者，不可不許。許之而反，不必可與。求之/而不許，勢必自絕。許而不與，其曲在己。里語/

曰：『何以罰，與以奪；何以怒，許不與。』思省所示報／權疏，曲折得宜，宜神聖之慮，非今臣下所能／有增益。昔與文若奉事先帝，事有數者，／有似於此，粗表二事。以爲今者事勢，尚當有／

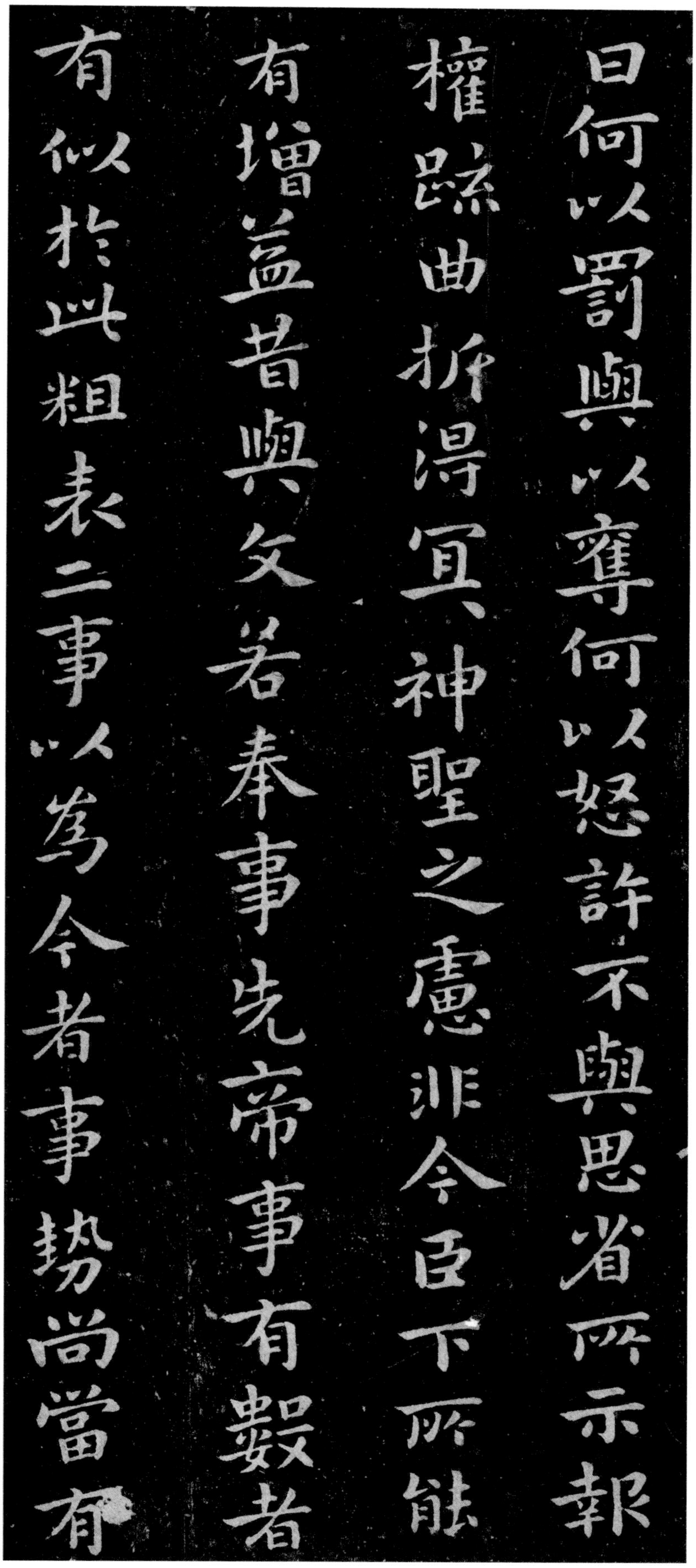

罰：此處約等於說抱怨。

文若：荀彧，字文若。潁川潁陽人，官至太尉。是三國魏傑出的軍事家、戰略家。

依違：依靠。

以：通『已』。

㒵：或即是『白』字。姜夔《絳帖平》卷二：『故不復白，白字下有兩點，古白字印文皆然。』此從其說。另，『㒵』一般解作『皃』，即『貌』字，此處似不通。

節度：裁度，决斷。

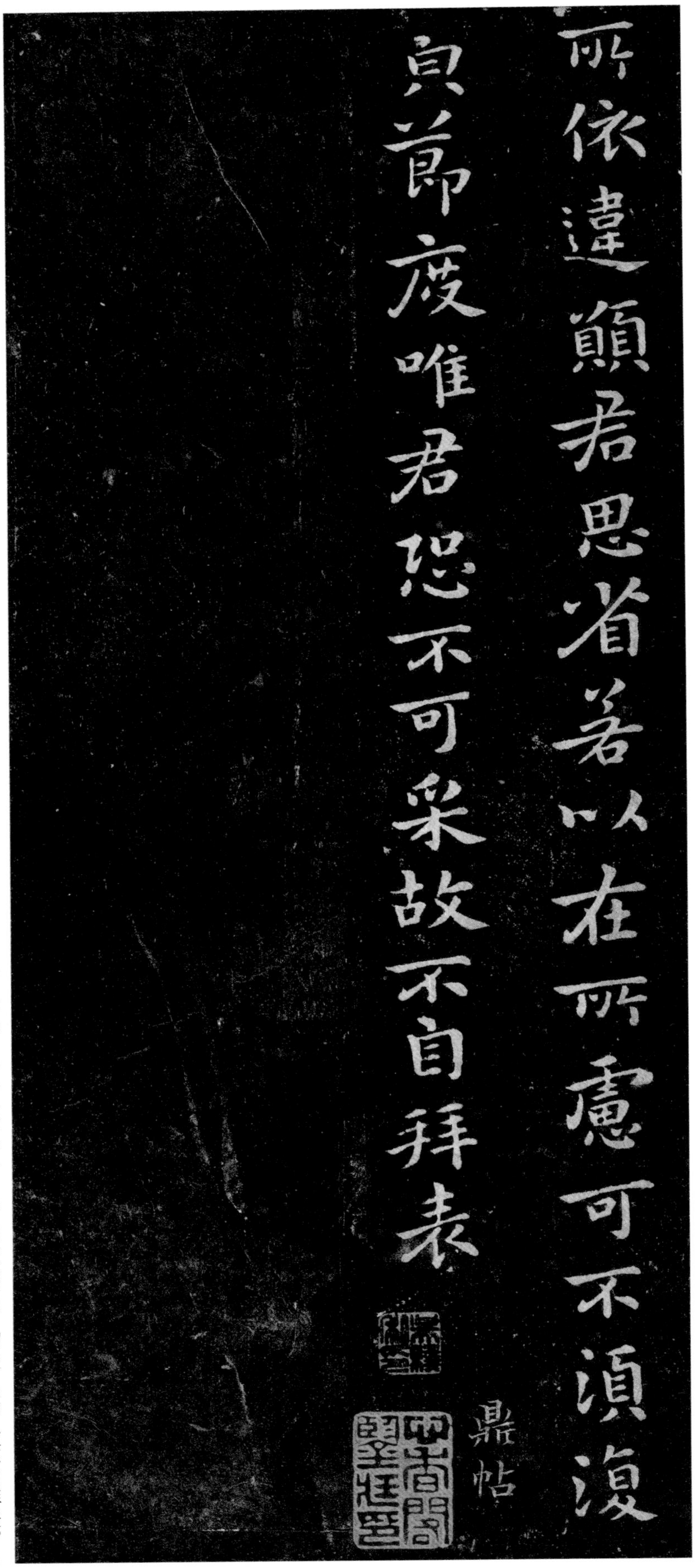

所依違。願君思省，若以在所慮，可不須復／㒵。節度唯君，恐不可采，故不自拜表。／

賀捷表

建安二十四年（二一九），蜀將關羽圍攻樊城、襄陽，曹魏荆州刺史胡脩、南鄉太守傅方投降關羽。後來曹魏大將徐晃率軍連破關羽軍，蜀軍大敗，胡脩、傅方亦在亂軍中被殺。鍾繇在此時向朝廷（實際是曹操）上表祝賀大捷。

戎路：帝王在軍中所乘的車。《周禮·春官·車僕》：『車僕，掌戎路之萃。』鄭玄注：『戎路，王在軍所乘也。』

無任：不能勝任，無能。

田單：戰國齊人，處事用兵善用智術，能以奇致勝。燕國大將樂毅舉兵連下齊國七十餘城，最後只剩莒和即墨，田單率族人以鐵皮裹車軸逃至即墨，被民衆擁立爲將軍。後離間燕惠王與樂毅，憑藉孤城即墨，由防禦轉入反攻，最終擊敗燕軍，收復國土。以功封安平君，任國相。

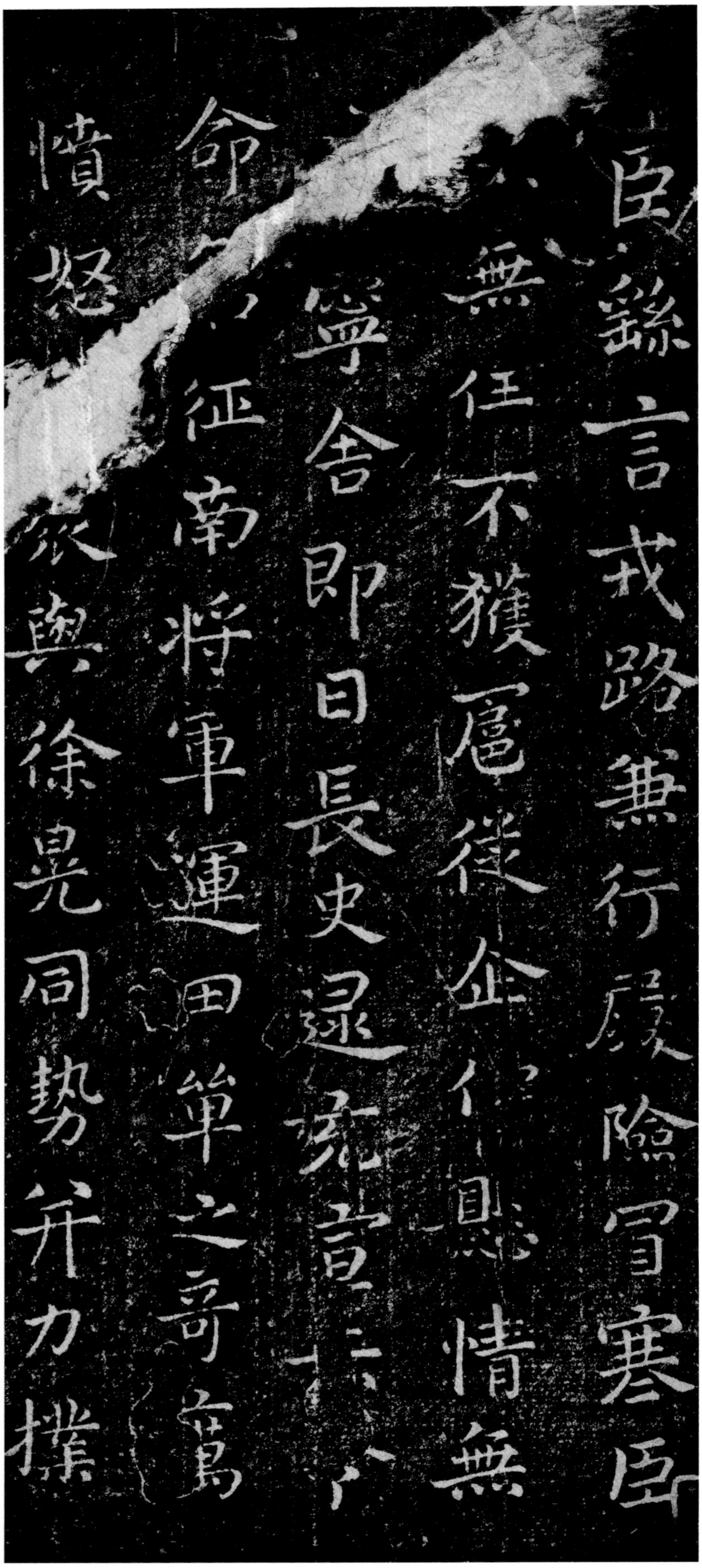

【《鼎帖》刻本】臣繇言：戎路兼行，履險冒寒。臣/（以）無任，不獲扈從，企佇懸情，無/（有）寧舍。即日長史逯充宣示令/命，（知）征南將軍運田單之奇，厲/憤怒（之）衆，與徐晃同勢，並力撲/

馘：古代戰爭割取敵人的左耳，用以計數報功。

禍淫：淫逸過度，則天降之以災禍。語出《尚書·湯誥》：『天道福善禍淫。』蔡沉集傳：『天之道，善者福之，淫者禍之。』

逸豫：快樂，安樂。

討。表裏（俱）進，應時克捷，馘滅凶／逆。賊帥關（羽），已被矢刃，傳方反／覆，胡脩背恩，（天）道禍淫，不終厥／命。奉聞嘉憙，（喜不）自勝。望路載／笑，踴躍逸豫。臣不（勝）欣慶，謹拜／

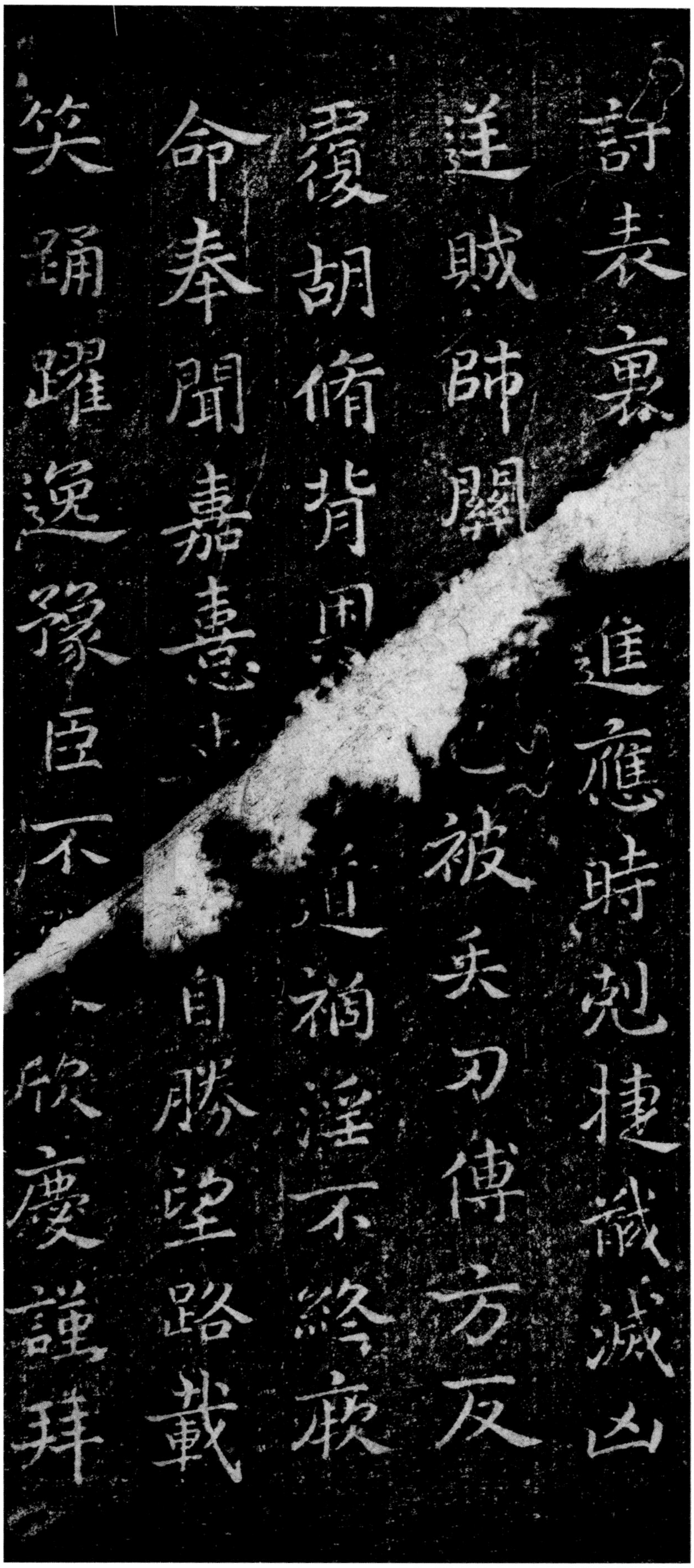

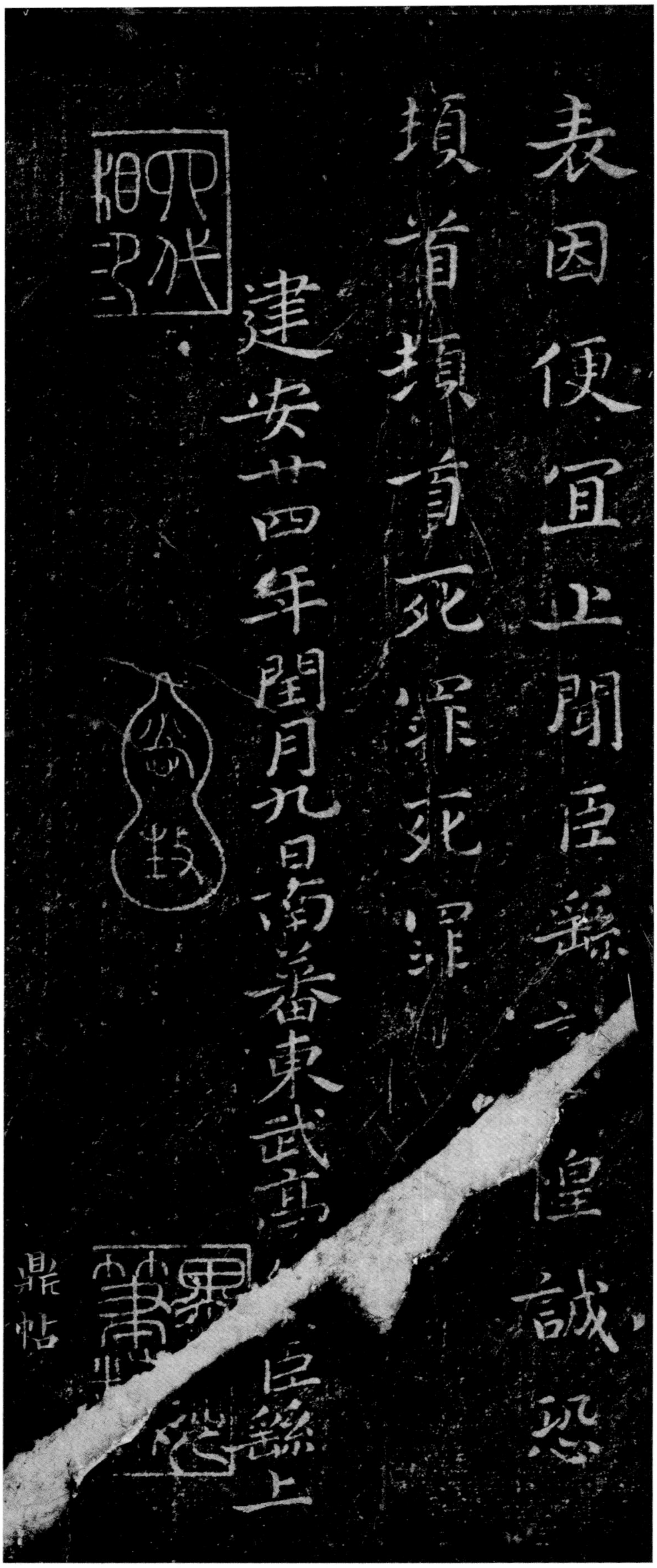

表因便宜上聞。臣繇（誠）惶誠恐！／頓首頓首！死罪死罪！／建安廿四年閏月九日，南蕃東武亭侯臣繇上。／

薦季直表

關東：指函谷關、潼關以東地區，即今河南東部一帶。

王師破賊關東時：建安初年，曹操在許（今河南許昌市西南）興起後，迎獻帝都許，假獻帝之名，自爲大將軍，以袁紹爲太尉。袁紹不甘心屈居曹操之下，而且也受不了曹操挾天子以令諸侯的氣焰，决心滅掉曹操，遂於建安五年（二〇〇）舉兵攻曹，發動了歷史上著名的官渡之戰。在此之前，本歸附曹操的劉備借曹操派他邀擊袁術之機逃離許都，殺徐州刺史車胄自立，並與袁紹聯合反曹。曹操在袁紹出兵之前，先行擊潰了劉備，隨後再備戰袁紹之兵。兩次戰役相連，此處所指就是當時之事。

餽饟：同『饋餉』，即糧餉。

山陽太守：建安五年（二〇〇）九月，曹操出兵與袁紹戰於官渡，戰爭初期，曹軍處於不利，只能堅壁自守。後來曹操偷襲袁紹屯糧處，燒盡袁紹軍糧，袁軍大敗。在此一戰中，季直爲曹軍及時輸送糧草，立下大功，因此纔有後來得到授山陽太守、封關內侯的襃獎。

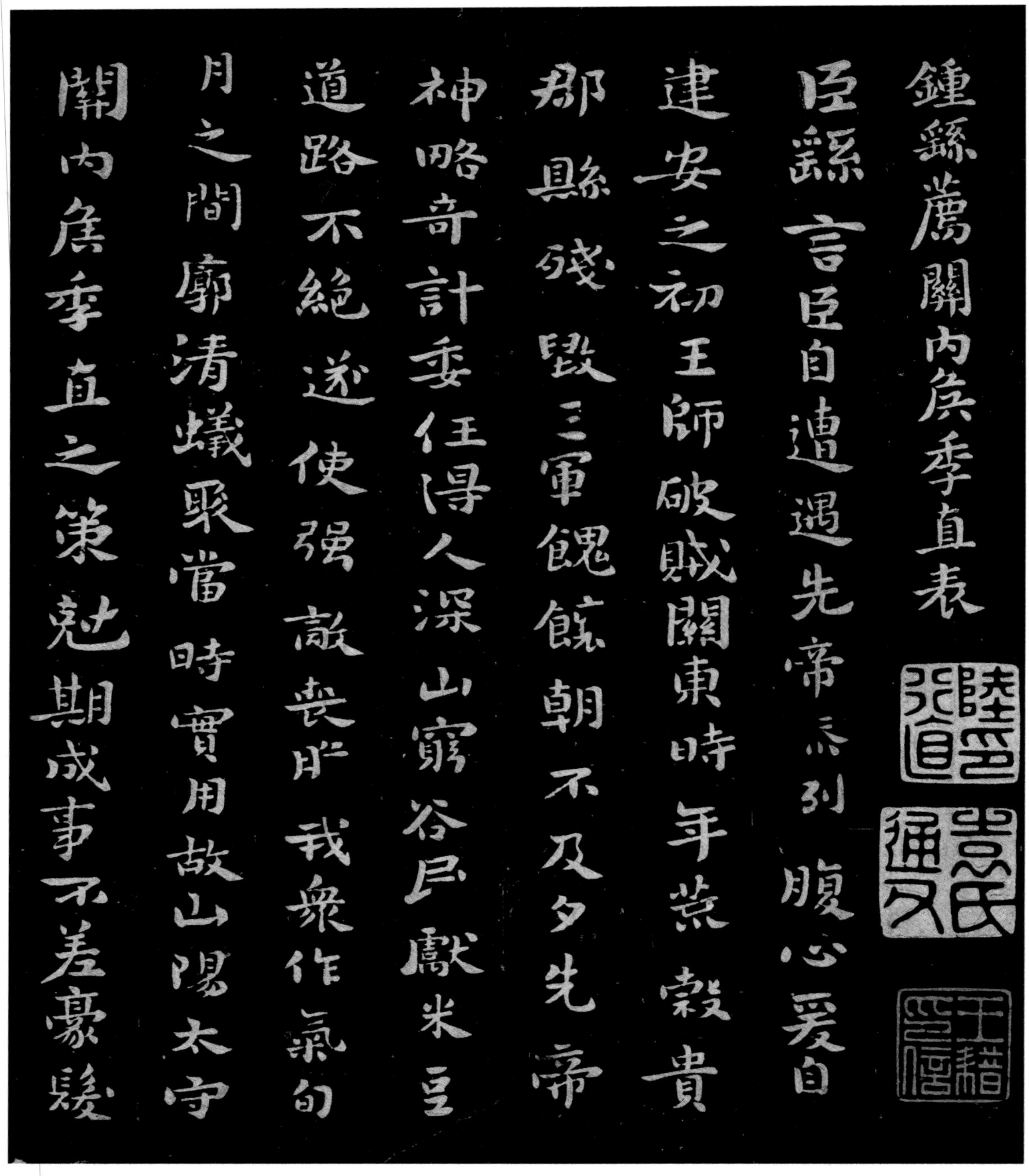
鍾繇薦關內侯季直表
臣繇言臣自遭遇先帝忝列腹心爰自
建安之初王師破賊關東時年荒穀貴
郡縣殘毀三軍餽饟朝不及夕先帝
神略奇計委任得人深山窮谷民獻米豆
道路不絕遂使强敵喪膽我衆作氣旬
月之間廓清蟻聚當時實用故山陽太守
關內侯季直之策克期成事不差豪髮

【單刻本】臣繇言：臣自遭遇先帝，忝列腹心。爰自／建安之初，王師破賊關東時，年荒穀貴，／郡縣殘毀，三軍餽饟，朝不及夕。先帝／神略奇計，委任得人，深山窮谷，民獻米豆，／道路不絕，遂使强敵喪膽，我衆作氣，旬／月之間，廓清蟻聚。當時實用故山陽太守、／關內侯季直之策。克期成事，不差豪髮。／

先帝賞以封爵，授以劇郡。今直罷任，／旅食許下，素爲廉吏，衣食不充。臣愚／欲望聖德録其舊勳，矜其老困，復／俾一州，俾圖報効。直力氣尚壯，必能／夙夜保養人民。臣受國家異恩，不敢雷／同，見事不言。干犯宸嚴，臣繇皇恐皇恐！／頓首頓首！謹言。／黄初二年八月日，司徒、東武亭侯臣鍾繇表。／

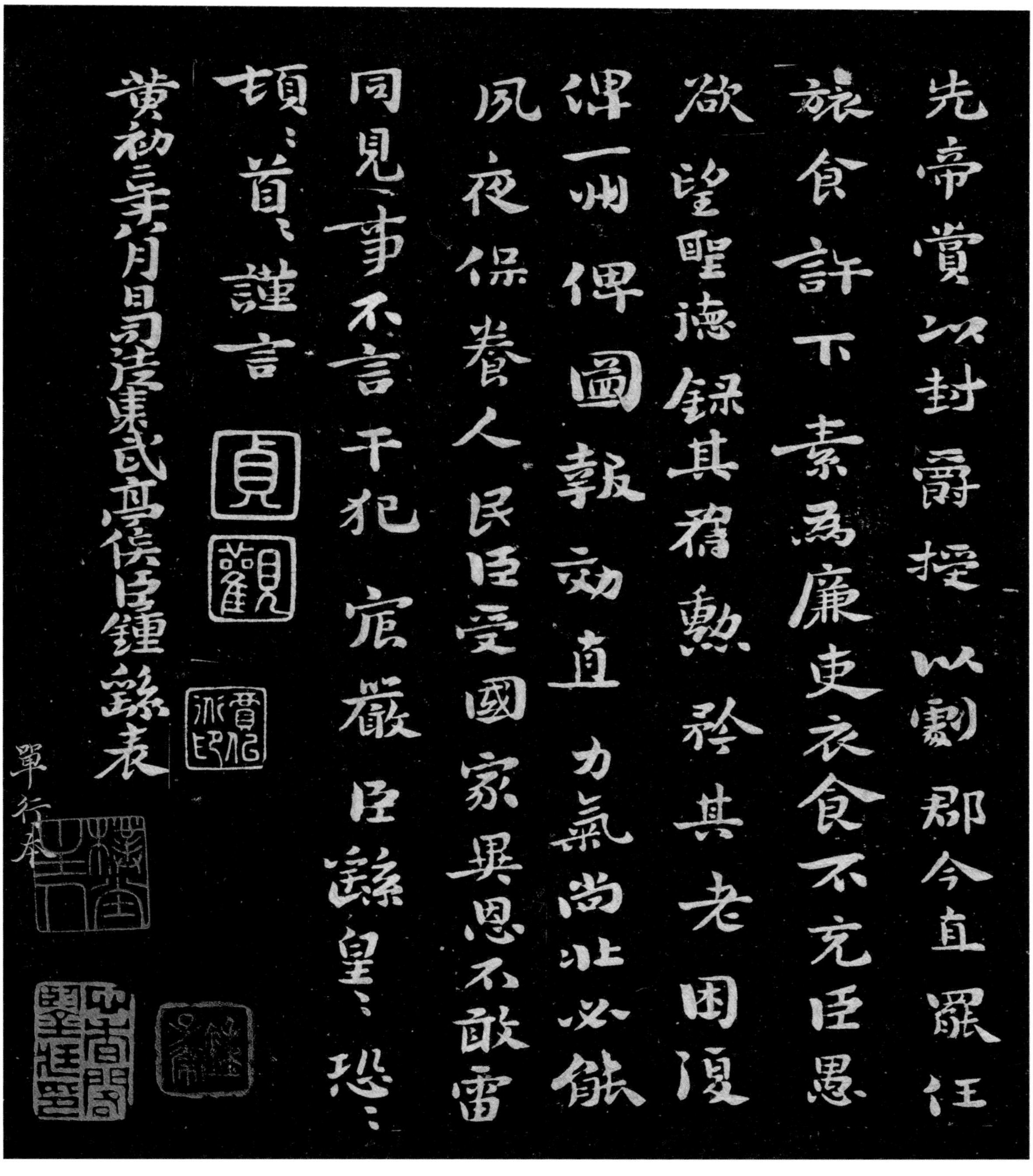

雷同：這裡指隨人俯仰，不敢堅持正確的主張。

八月日：此處不寫某日，是因爲在起草奏表時並未確定上表的日期，所以暫空，待正式上表時再按日填寫。

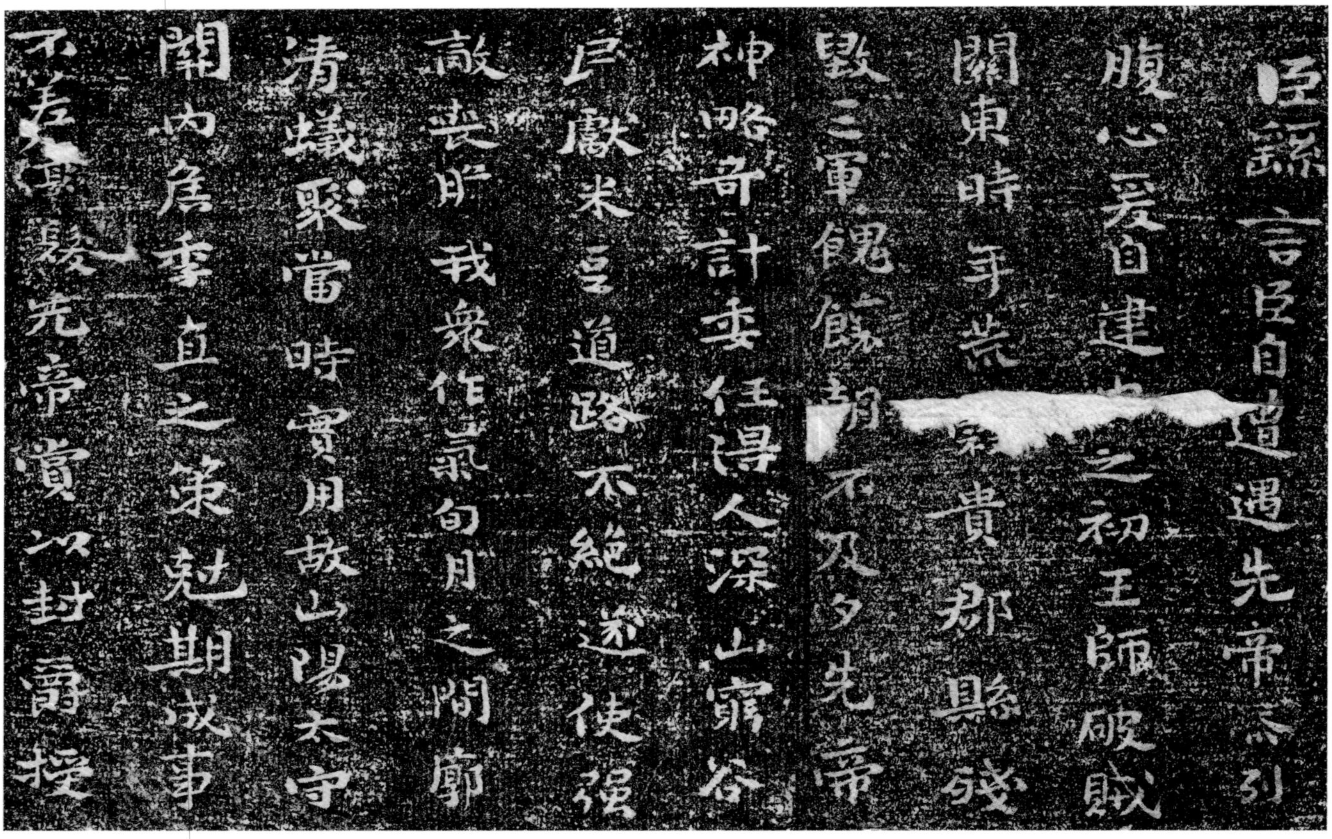

臣繇言臣自遭遇先帝忝列
腹心爰自建安之初王師破賊
關東時年荒穀貴郡縣殘
毀三軍饑餓朝不及夕先帝
神略奇計委任得人深山窮谷
民獻米豆道路不絕遂使強
敵喪膽我衆作氣旬月之間廓
清蟻聚當時實用故山陽太守
關內侯季直之策尅期成事
不差豪髮先帝賞以封爵授

【《真賞齋帖》刻本】釋文略。

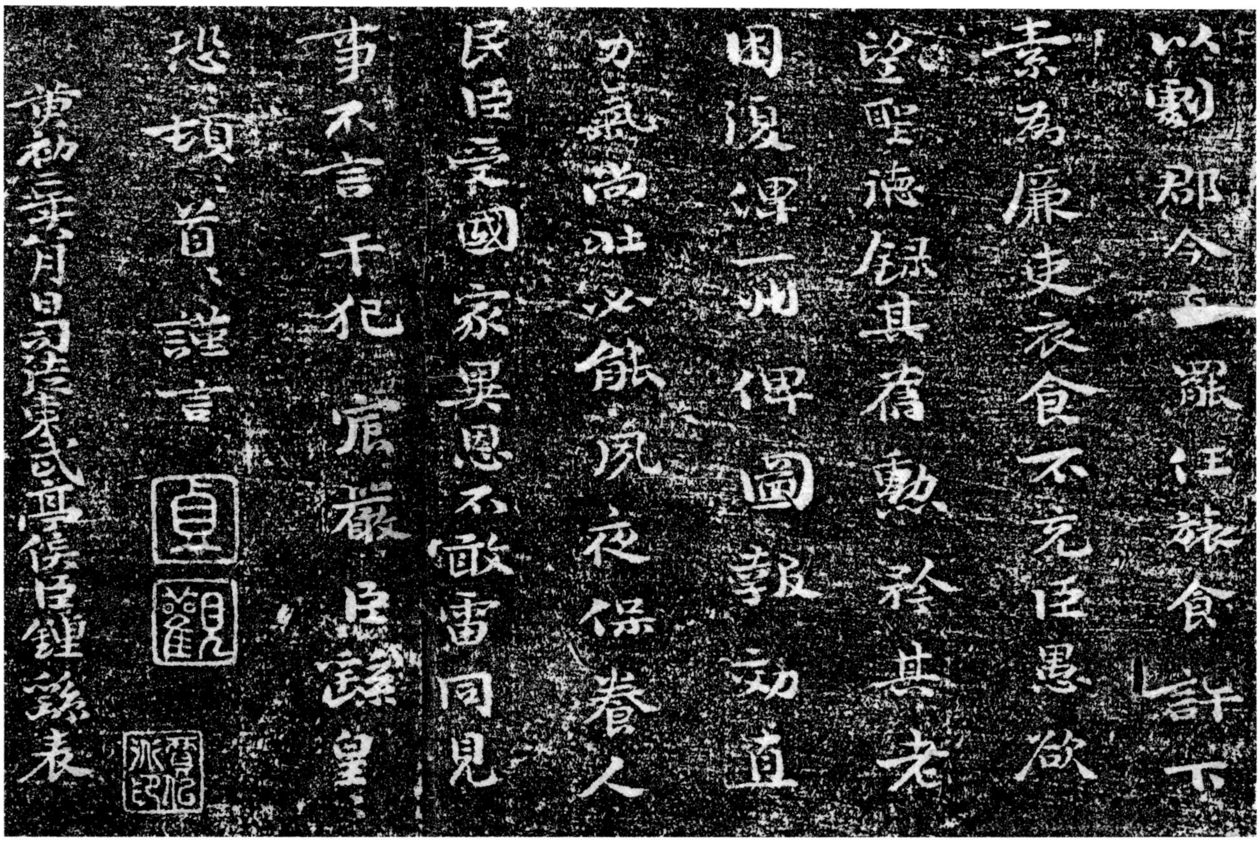
以劉郡令直罷任旅食許下
素為廉吏衣食不充臣愚欲
望聖德錄其舊勳矜其老
困復俾一州俾圖報効直
力氣尚壯必能夙夜保養人
民臣受國家異恩不敢雷同見
事不言干犯宸嚴臣繇皇、
恐、頓、首、謹言
黃初二年八月日司徒東武亭侯臣鍾繇表

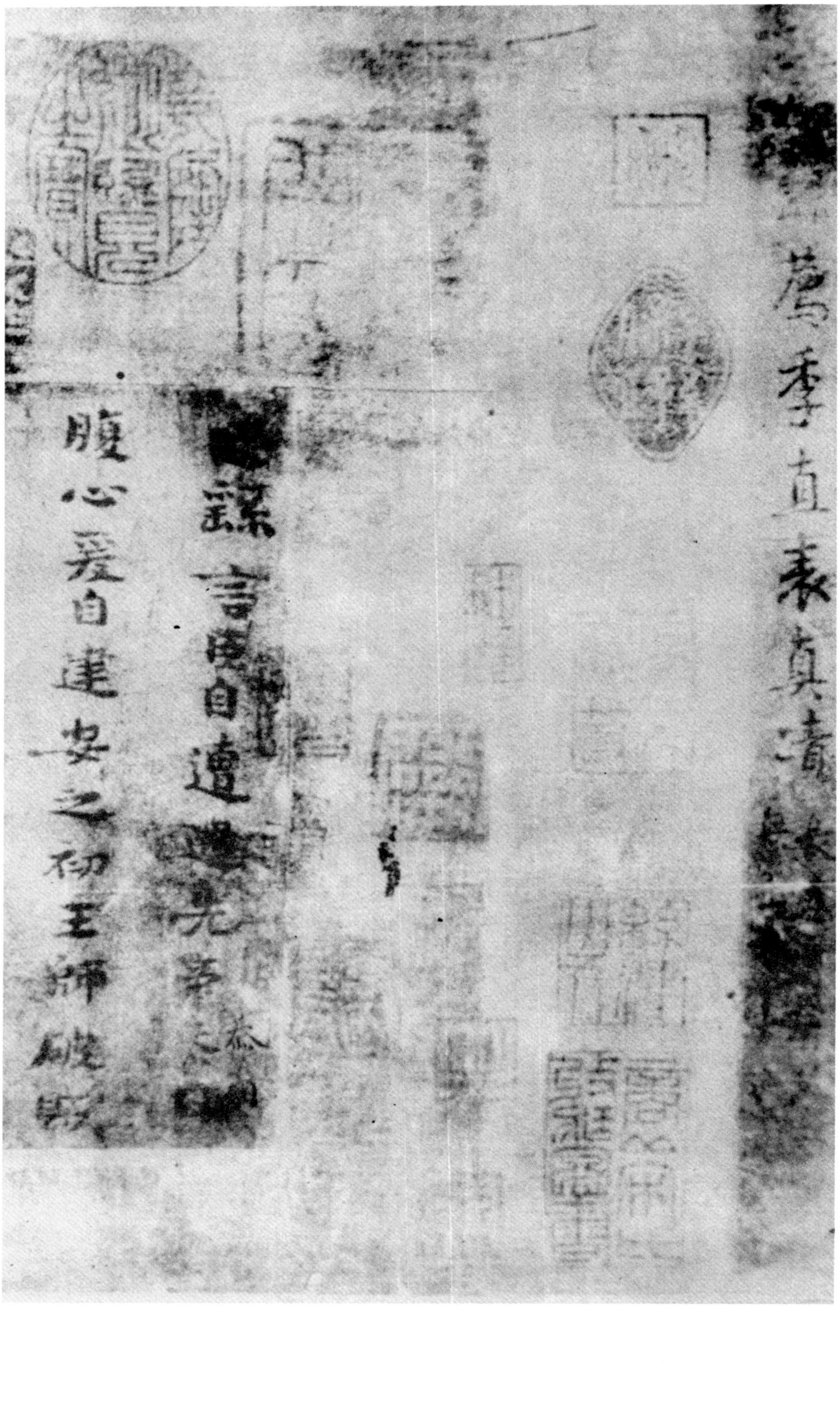

【唐宋時期摹本】釋文略。

關東時年荒穀貴郡縣殘
毀三軍饋饟朝不及夕先帝
神略奇計委任得人深山窮谷
民獻米豆道路不絕遂使強
敵喪膽我衆作氣旬月之間廓
清蟻聚當時實用故山陽

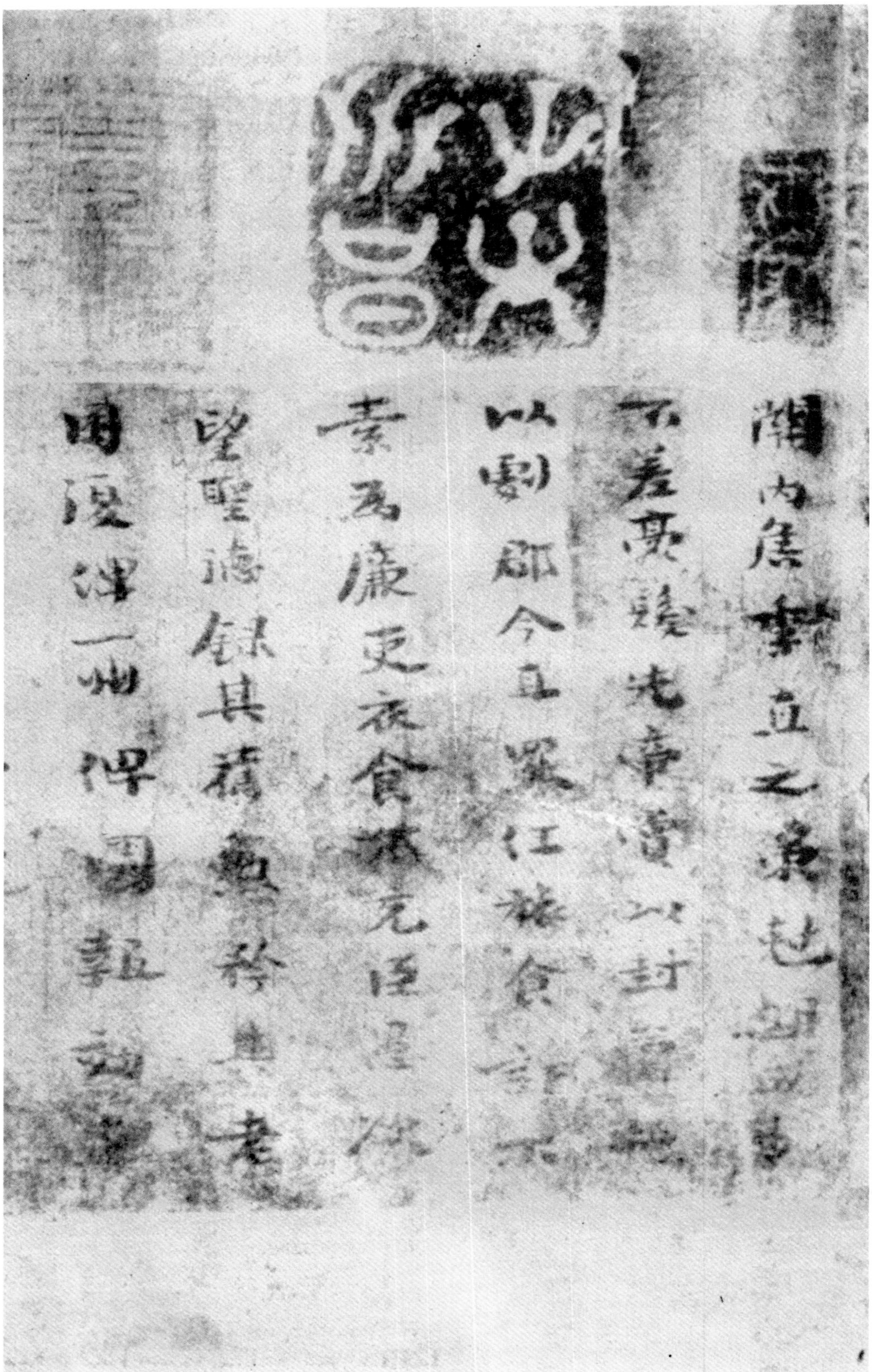

關內侯季直之策尅期成事
不差毫髮先帝賞以封爵
以劉郡今直罷任旅食許下
素為廉吏衣食不充臣愚欲
望聖德錄其舊勳矜其老
困復俾一州俾圖報效

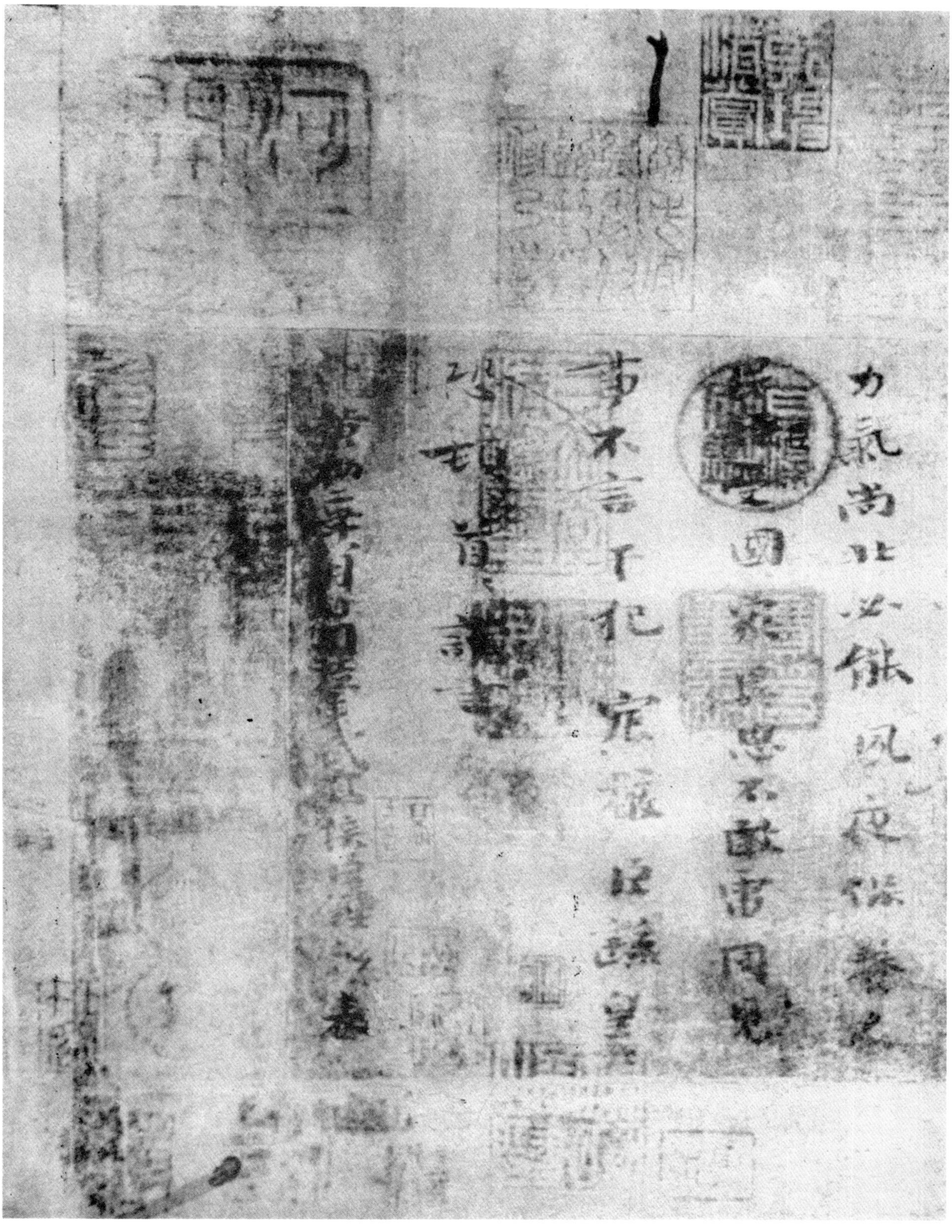

力命表

力命：竭盡全力以副使命。

帷幄之謀：指軍事決策。

愚耄：愚笨老邁。耄：年老，八九十歲的年紀。

帥土：同『率土』。『率土之濱』的省文。謂境域之內。《詩經・小雅・北山》：『率土之濱，莫非王臣。』王引之《經義述聞・毛詩中》：『《爾雅》曰：「率，自也。自土之濱者，舉外以包內，猶言四海之內。」』

欣戴：歡欣擁戴。

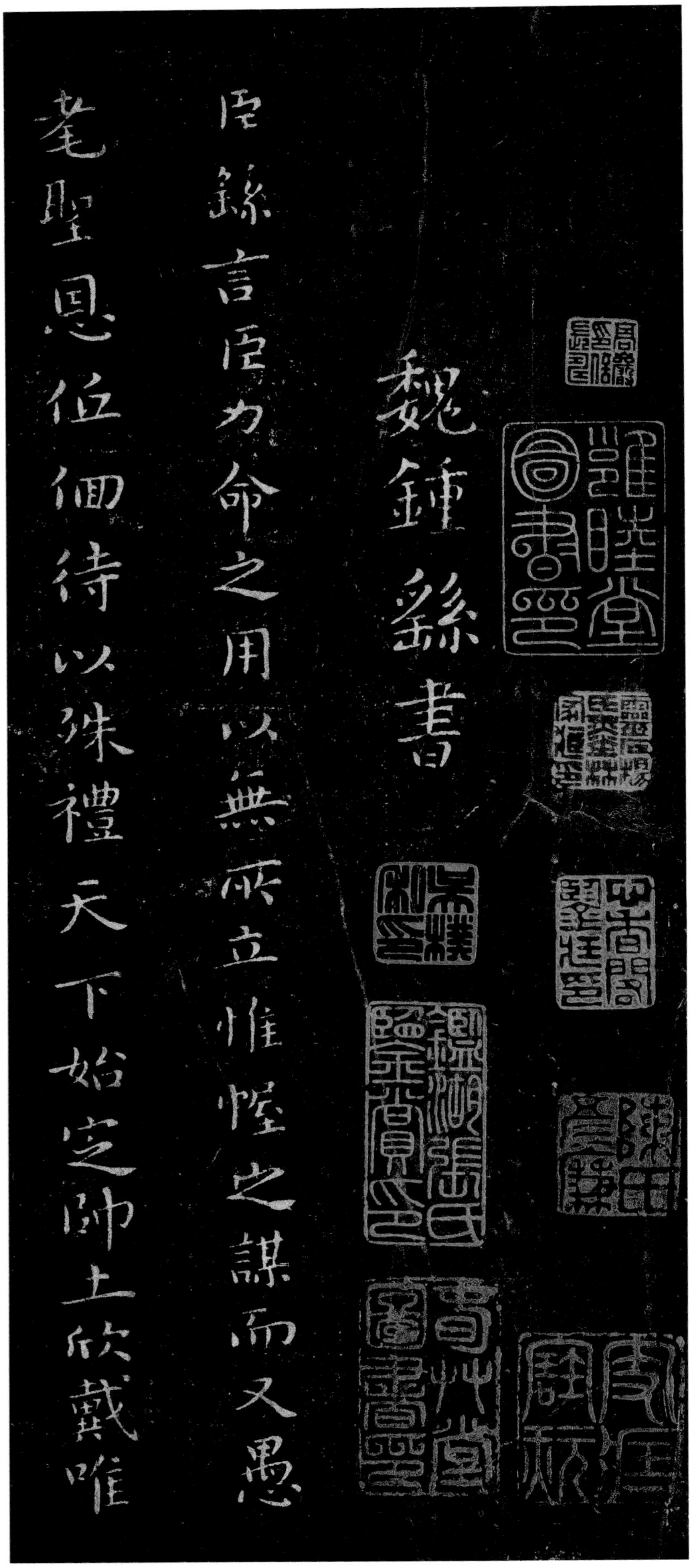
魏鍾繇書
臣繇言臣力命之用以無所立帷幄之謀而又愚
耄聖恩低徊待以殊禮天下始定帥土欣戴唯

【《鼎帖》刻本】臣繇言：臣力命之用，以無所立帷幄之謀，而又愚／耄。聖恩低徊，待以殊禮。天下始定，帥土欣戴，唯／

有江東，當少留思。既與上公同見訪問，昨日讌見╱復蒙逮及，雖緣詔令陳其愚心，而臣所懷，造╱膝之事。昔先帝嘗以事及臣，遣侍中王粲、杜襲╱就問（臣）。臣所懷未盡，冀益絲髮，乞使侍中與╱

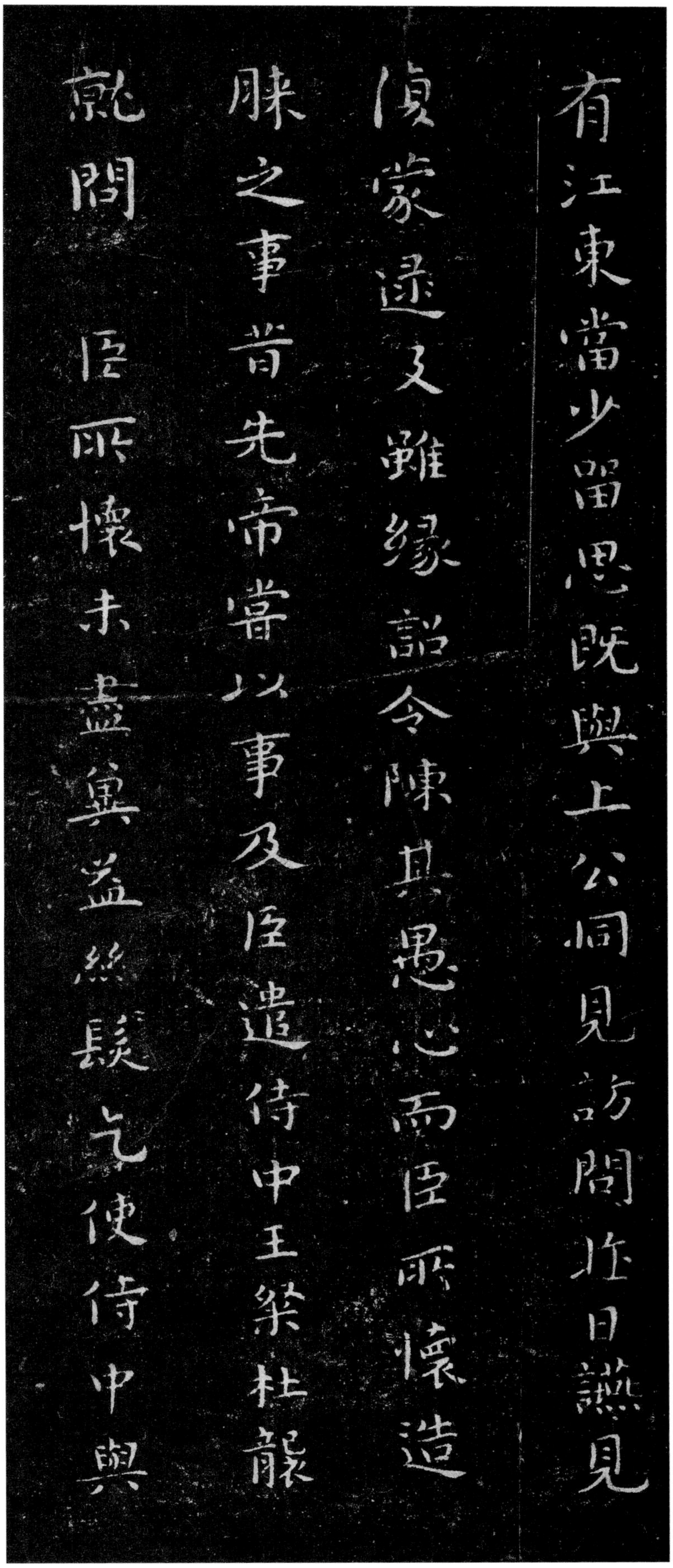
有江東當少留思既與上公同見訪問昨日讌見
復蒙逮及雖緣詔令陳其愚心而臣所懷造
膝之事昔先帝嘗以事及臣遣侍中王粲杜襲
就問 臣所懷未盡冀益絲髮乞使侍中與

讌：同『宴』。宴見：在皇帝公餘時被召見。有別於朝見。《漢書·京房傳》：『房嘗宴見，問上曰：「幽厲之君何以危？所任者何人也？」』顔師古注：『以閑宴時而入見天子。』

逮及：詢問到。

造膝之事：需要促膝而談的事，指極爲隱秘的事或意見。

冀益絲髮：希望能有些許幫助。

愚款：指己之誠意，是一種謙稱。晉庾亮《讓中書令表》：『雖陛下二相，明其愚款，朝士百寮，頗識其情，天下之人，何可門到户説，使皆坦然耶？』

慺慺：勤懇、恭謹貌。《後漢書·楊賜傳》：『老臣過受師傅之任，數蒙寵異之恩，豈敢愛惜垂没之年，而不盡其慺慺之心哉！』

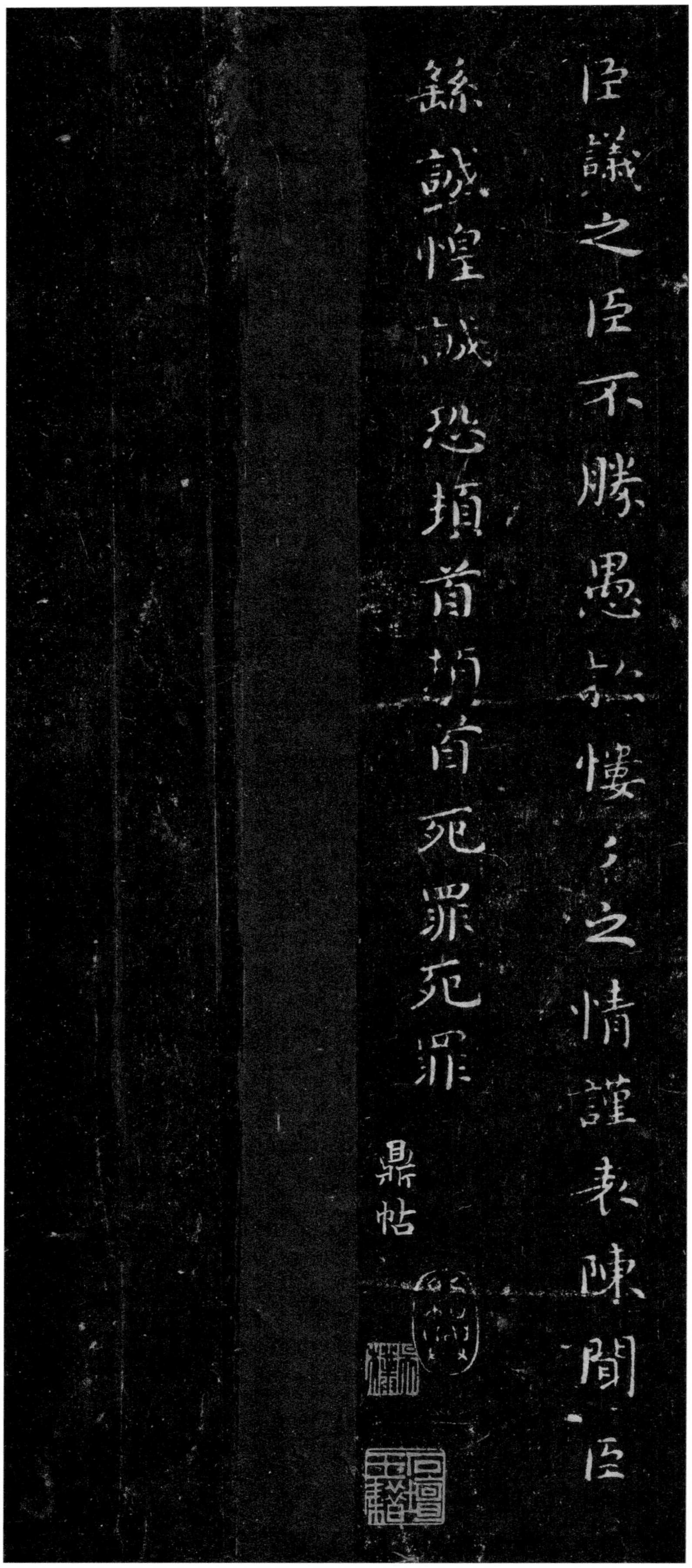

臣議之，臣不勝愚款。慺慺之情，謹表陳聞。臣／繇誠惶誠恐！頓首頓首！死罪死罪！／

臣繇言臣力命之用以無所立惟悔之謀而又愚
耄聖恩低佪待以殊禮天下始定帥土欣戴唯有
江東當少留思既與上 同見訪問昨日讌見
復蒙逮及雖緣詔令陳其愚心而臣所懷造
膝之事昔先帝嘗以事及臣遣侍中王粲杜襲
就問臣臣所懷未盡粲益絲懸乞使侍中與臣

【《快雪堂帖》刻本】釋文略。

議之臣不勝愚款慺慺之情謹表以聞臣繇誠
皇誠恐頓頓首首上言

快雪堂

墓田丙舍帖

丙舍：墓廬，墓田旁的房屋。

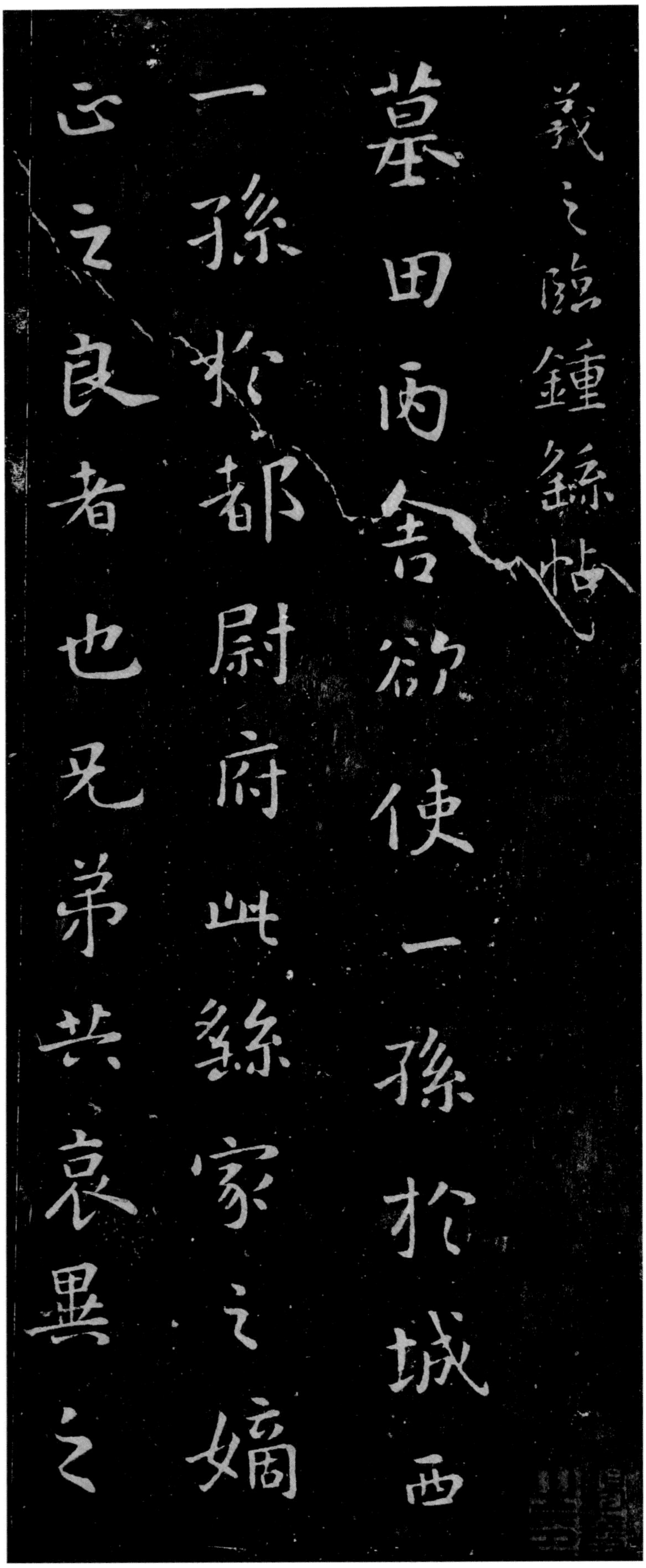
羲之臨鍾繇帖
墓田丙舍欲使一孫於城西
一孫於都尉府此繇家之嫡
正之良者也兄弟共哀異之

墓田丙舍，欲使一孫於城西，/一孫於都尉府，此繇家之嫡/正之良者也，兄弟共哀異之，/

文岱：三國時期曹魏武將文聘之子，先於文聘而卒。

慈篤：慈愛篤厚。

同恤：共同憂傷。《國語・齊語》：『伍之人，祭祀同福，死喪同恤，禍災共之。』韋昭注：『恤，憂也。』

翁方綱跋

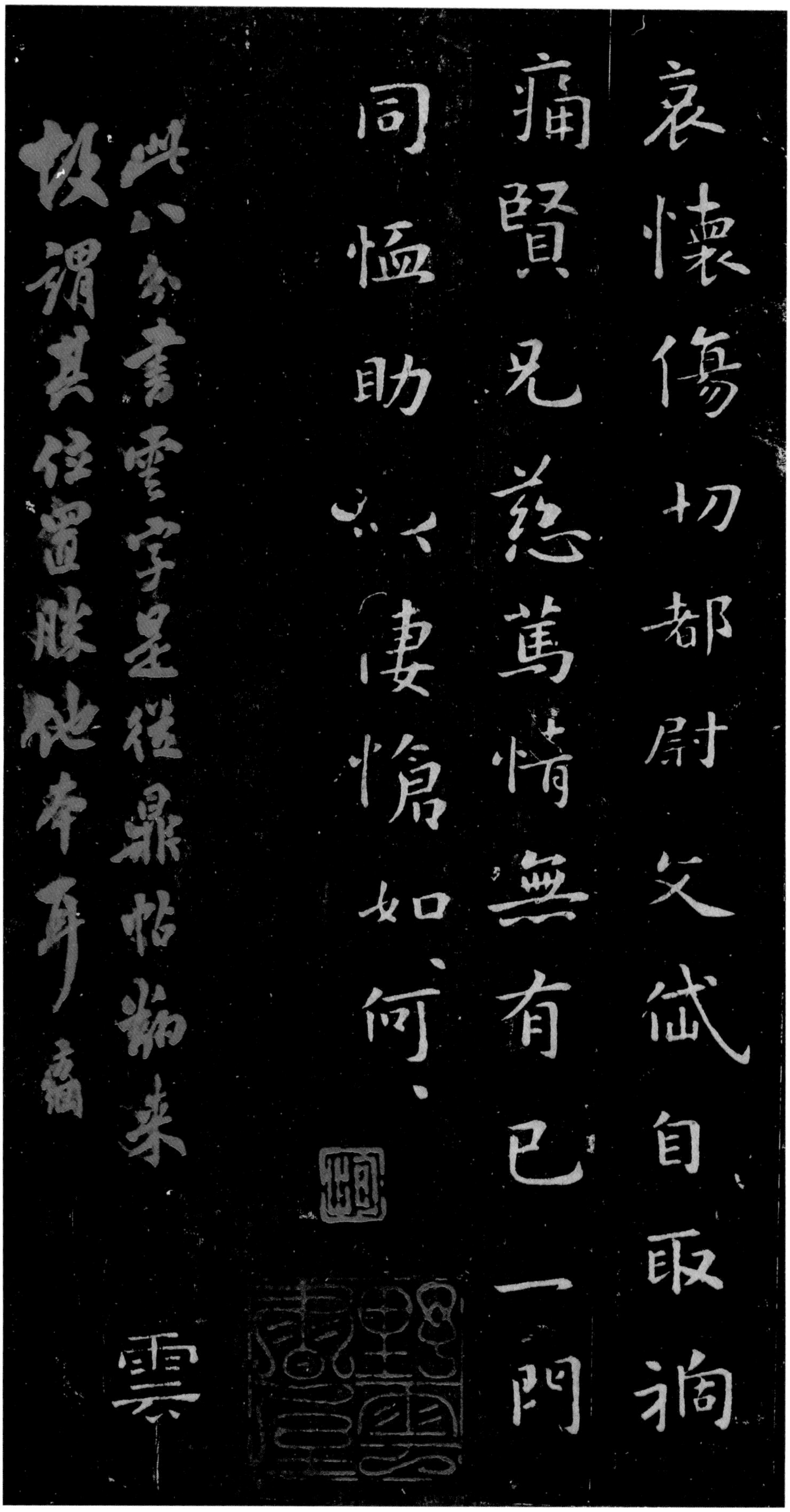
哀懷傷切都尉文岱自取禍
痛賢兄慈篤情無有已一門
同恤助以悽愴如何如何

哀懷傷切！都尉文岱，自取禍／痛，賢兄慈篤，情無有已，一門／同恤，助以悽愴。如何！如何！／

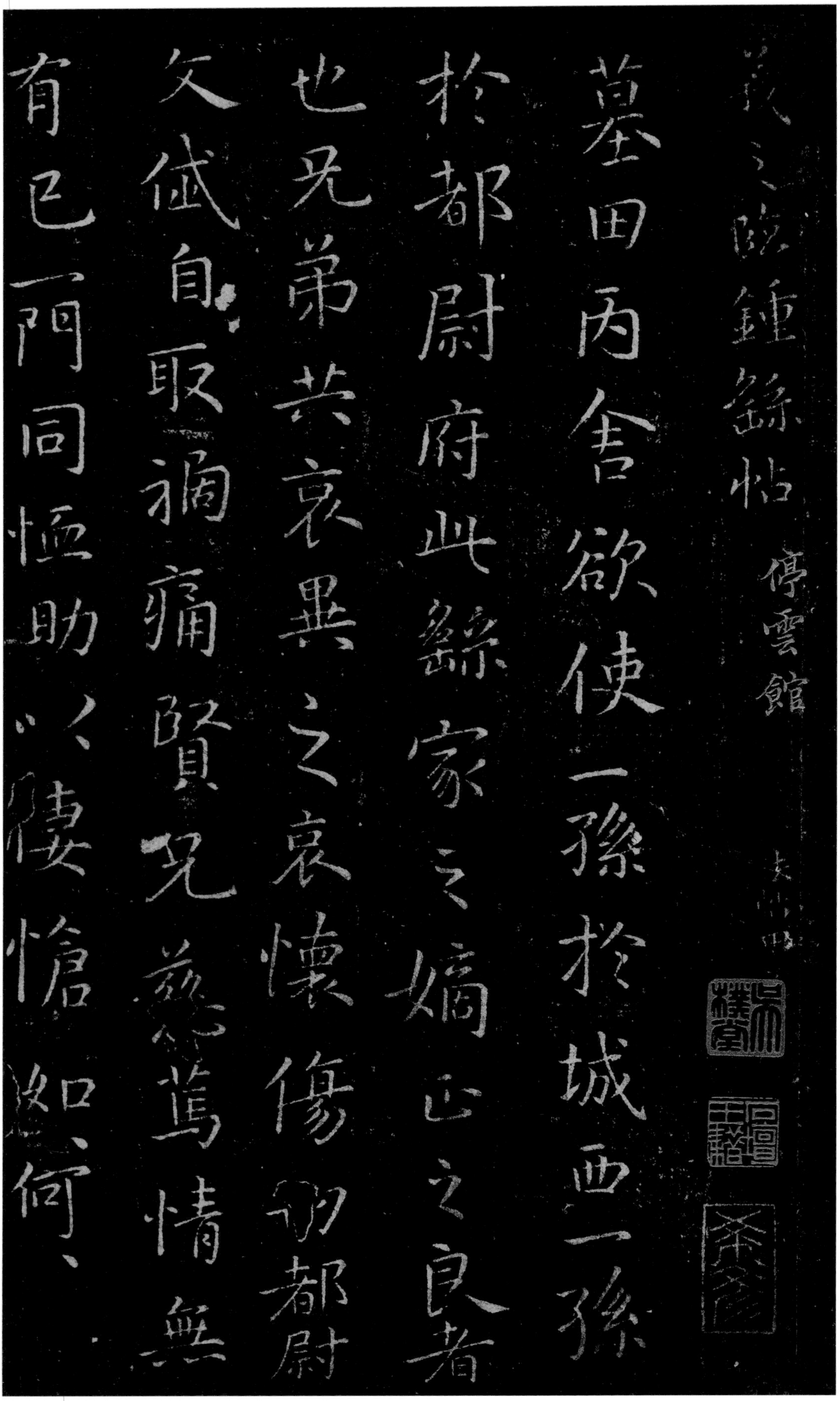
羲之臨鍾繇帖 停雲館
墓田丙舍欲使一孫於城西一孫
於都尉府此繇家之嫡正之良者
也兄弟共哀異之哀懷傷切都尉
文偃自取禍痛賢兄慈篤情無
有已一門同恤助之悽愴如何

【《停雲館帖》刻本】釋文略。

還示帖

憂虞：憂慮。

張樂：置樂，奏樂。

雲英：古指甘露。曹植《承露盤銘》：『下潛醴泉，上受雲英。』此『雲英』指雲氣的精華，即指甘露。雲英之奏：形容如甘露般醉人的音樂。

此段語出《莊子·至樂》：『咸池、九韶之樂，張之洞庭之野，鳥聞之而飛，獸聞之而走，魚聞之而下入，人卒聞之，相與還而觀之。魚處水而生，人處水而死。彼必相與異，其好惡故異也。故先聖不一其能，不同其事。名止於實，義設於適，是之謂條達而福持。』

審己而恕物：認真審視自身，以寬宏的態度對待外物。

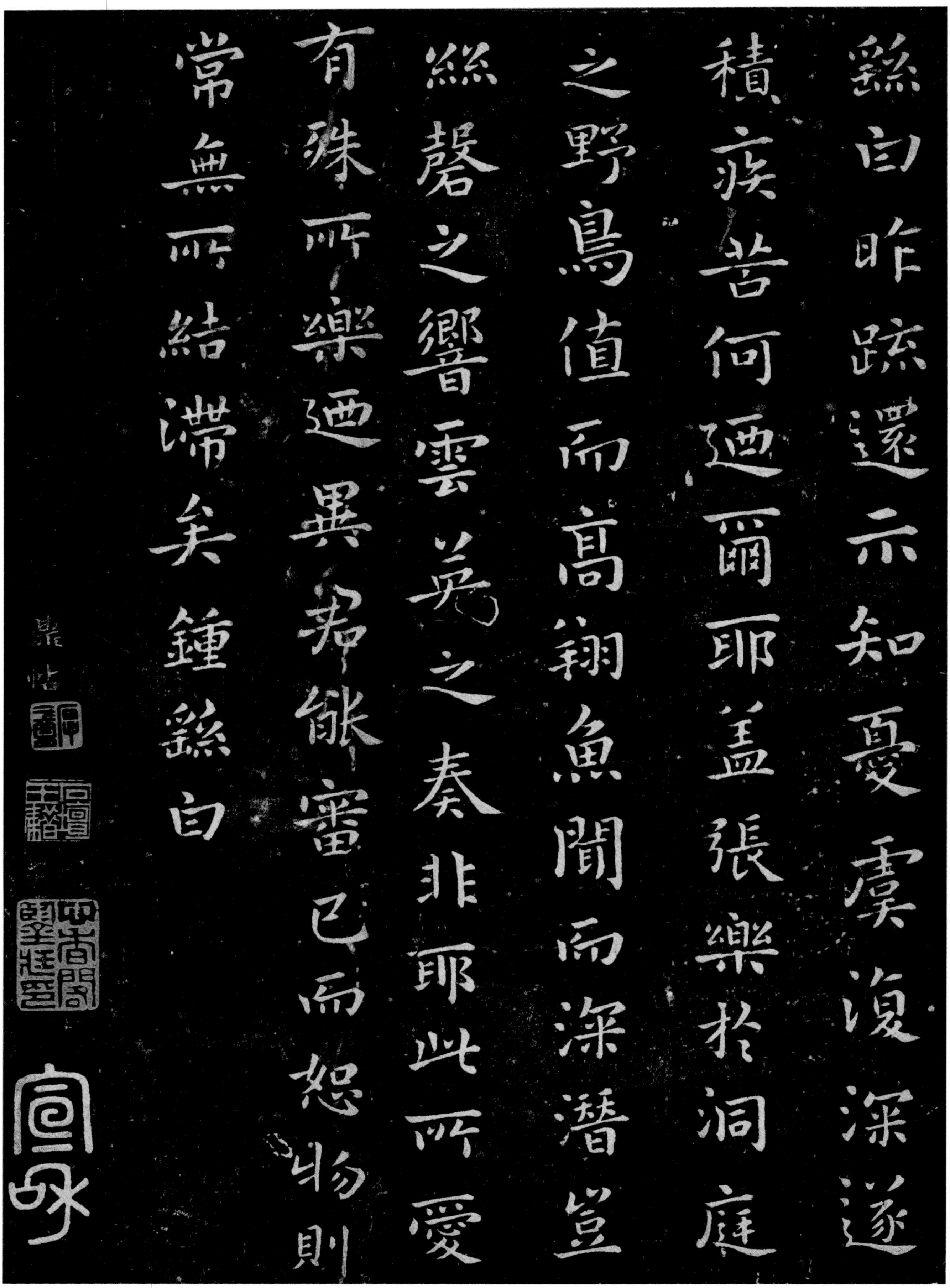

【《鼎帖》刻本】繇白：昨疏還示，知憂虞復深，遂／積疾苦，何迺爾耶？蓋張樂於洞庭／之野，鳥值而高翔，魚聞而深潛，豈／絲磬之響、雲英之奏非耶？此所愛／有殊，所樂迺異。君能審己而恕物，則／常無所結滯矣。鍾繇白。／

白騎帖

《法書要録・右軍書目》載：『繇白張白騎遂自猜疑。七行。』疑王羲之曾臨此帖。從此記載看，本帖文字疑似有脫漏。

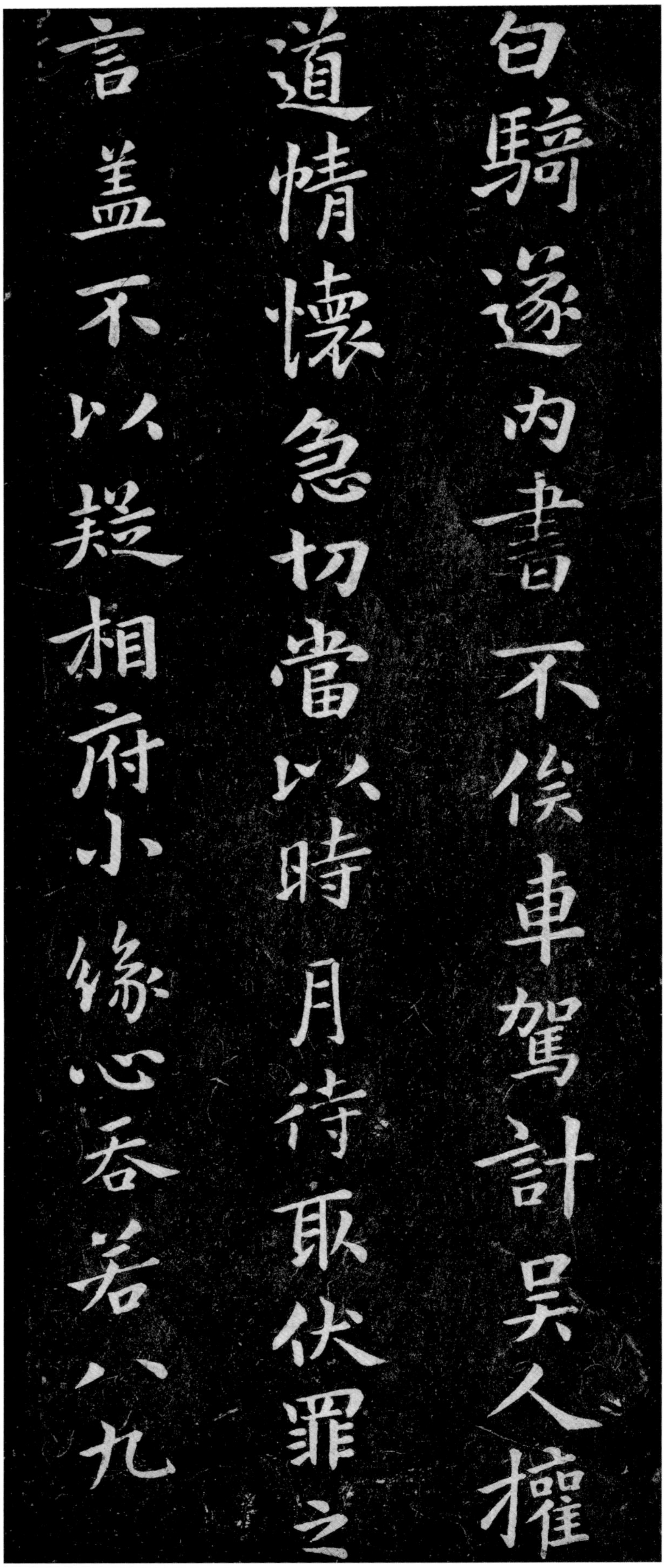
白騎遂內書不俟車駕計吴人權
道情懷急切當以時月待取伏罪之
言蓋不以疑相府小緣心吞若八九

白騎遂內書，不俟車駕。計吴人權／道，情懷急切，當以時月待取。伏罪之／言，蓋不以疑相府小，緣心吞若八九。／

常患帖

羸頓：衰弱困頓。《北史·隋秦王俊傳》：『俊薨，勺飲不入口者數日，羸頓骨立。』

多少：多數情況下有所減少。

新婦：新娘子。古代可指自己的妻子，或弟妻，或兒媳。此處疑指兒媳。

動止仰人：行動都要依靠他人。可能指身體有病。

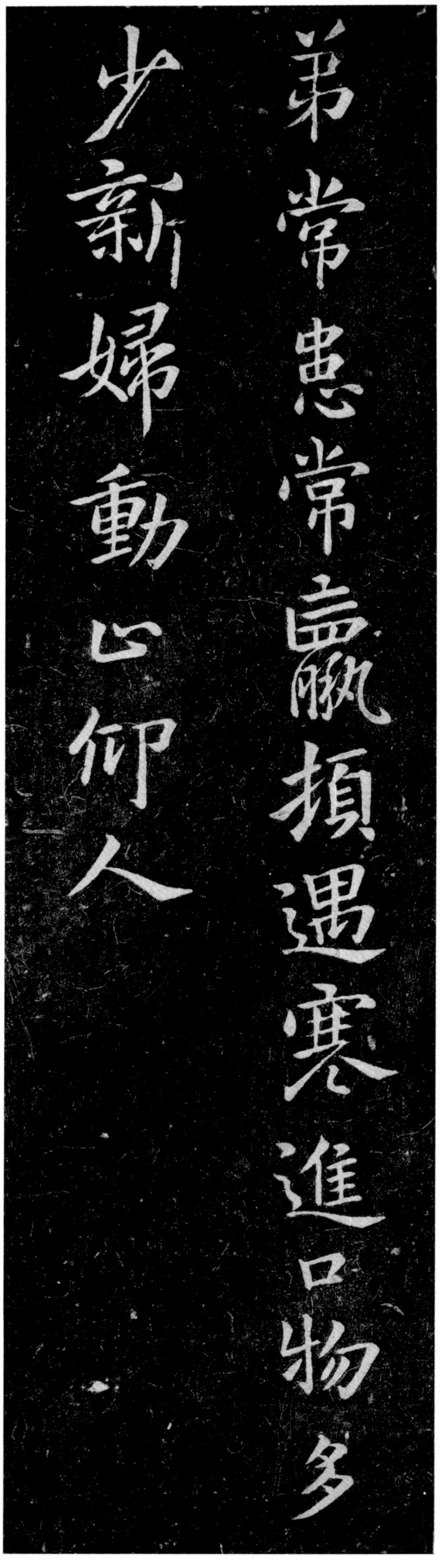
弟常患常羸頓遇寒進口物多
少新婦動止仰人

弟常患常羸頓，遇寒，進口物多／少。新婦動止仰人。／

雪寒帖

勝常：勝於常日。此爲書信中常見的問候語。

賢從：對人堂兄弟的敬稱。《梁書·劉遵傳》：「大同元年，卒官。皇太子深悼惜之，與遵從兄陽羨令孝儀令曰：「賢從中庶，奄至殞逝，痛可言乎！」」

帷帳：帷幄。此指行軍的營帳。帷帳之悼：指在軍中戰死。

不復一一：不一一詳述。書信習用語。按：此句或釋爲「不復具」，同義。似以釋「一一」爲勝。

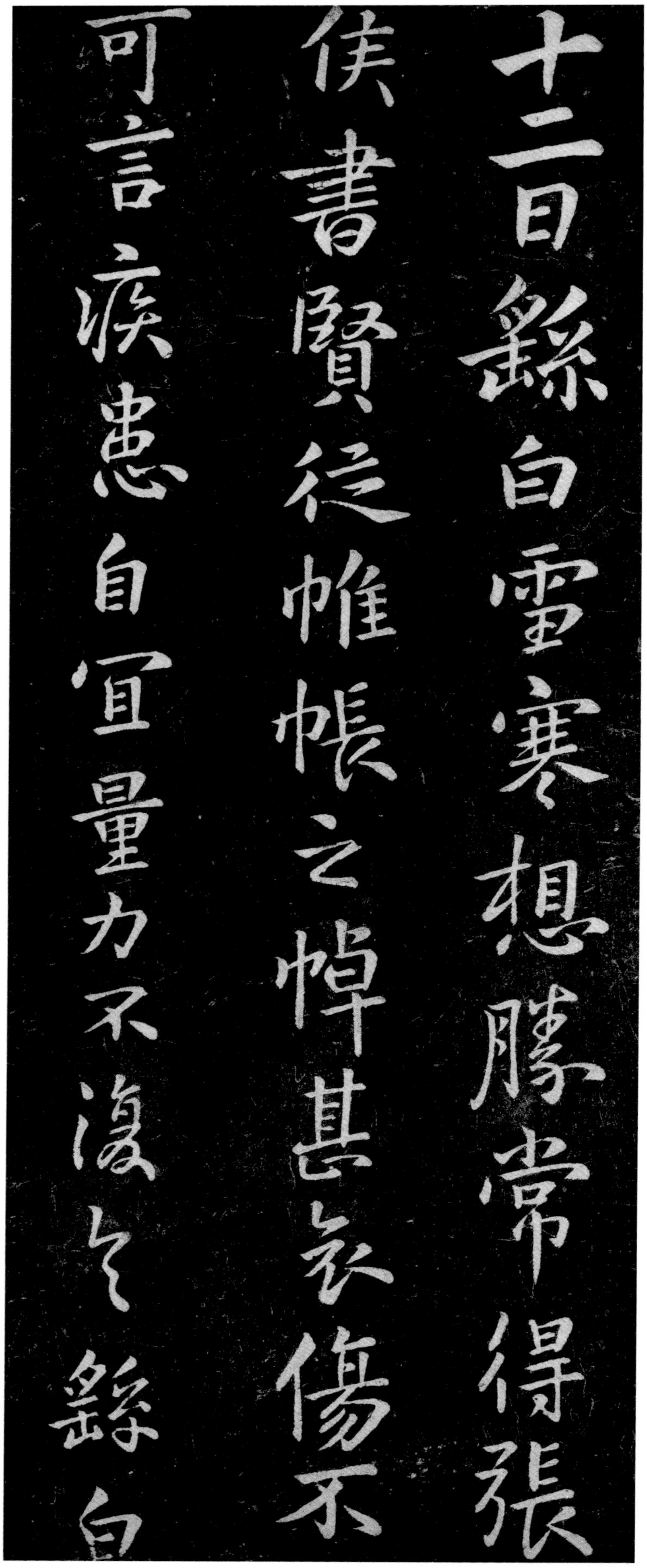
十二日繇白雪寒想勝常得張
侯書賢從帷帳之悼甚哀傷不
可言疾患自宜量力不復一一繇白

十二日繇白：雪寒，想勝常。得張/侯書，賢從帷帳之悼，甚哀傷，不/可言！疾患，自宜量力。不復一一。繇白。/

歷代集評

（余覽）鍾繇書，骨甚是不輕。

——晉 王羲之《書論》

夫古質而今妍，數之常也；愛妍而薄質，人之情也。鍾、張方之二王，可謂古矣，豈得無妍質之殊？且二王暮年皆勝於少，父子之間又爲今古。

——劉宋 虞龢《論書表》

伯英既稱草聖，元常實自隸絶，論旨所謂殆同一璣神，實曠世莫繼。

——梁 陶弘景《與梁武帝論書啟》

元常謂之古肥，子敬謂之今瘦。今古既殊，肥瘦頗反，如自省覽，有異衆説。張芝、鍾繇，巧趣精細，殆同機神。肥瘦古今，豈易致意。真跡雖少，可得而推。逸少至學鍾書，勢巧形密。及其獨運，意疏字緩。譬猶楚音習夏，不能無楚。過言不悒，未爲篤論。又子敬之不迨逸少，猶逸少之不迨元常。學子敬者如畫虎也，學元常者如畫龍也。

——梁 蕭衍《觀鍾繇書法十二意》

鍾繇書如雲鵠游天，群鴻戲海，行間茂密，實亦難過。

——梁 蕭衍《古今書人優劣評》

鍾天然第一，工夫次之，妙盡許昌之碑，窮极鄴下之牘。

——梁 庾肩吾《書品》

鍾雖擅美一時，亦爲迥絶，論其儘善，或有所疑。至於布纖濃，分疏密，霞舒雲捲，無所間然。但其體則古而不今，字則長而逾制，語其大量以此爲瑕。

——唐 李世民《王羲之傳論》

元常正隸如郊廟既陳，俎豆斯在；又比寒澗閟豁，秋山嵯峨。

——唐 李嗣真《書後品》

若真書古雅，道合神明，則元常第一。

——唐 張懷瓘《書斷》

真書絶世，剛柔備焉，點畫之間，多有異趣，可謂幽深無際，古雅有餘，秦、漢以來，一人而已。

——唐 張懷瓘《書斷》

真書以平正爲善，此世俗之論，唐人之失也。古今真書之神妙，無出鍾元常，其次則王逸少。今觀二家之書，皆瀟灑縱横，何拘平正？

——宋 姜夔《續書譜》

《書評》謂太傅茂密，右軍雄强。雄則生氣勃發，故能茂；强則神理完足，故能密。是茂密之妙，已概雄强也。

——清 包世臣《藝舟雙楫》

蔡邕洞達，鍾繇茂密。余謂兩家之書同道，洞達正不容針，茂密正能走馬。此當於神者辨之。

——清 劉熙載《藝概》

正、行二體，始見於鍾書，其書之大巧若拙，後人莫及，蓋由於分書先不及也。

——清 劉熙載《藝概》

中國碑帖名品［二十二］

鍾繇小楷

本社 編

責任編輯 馮 磊
釋文注釋 俞 豐
審　　定 沈培方
責任校對 周倩芸
封面設計 王 峥
整體設計 馮 磊
技術編輯 錢勤毅

出版發行 上海書畫出版社
地址 上海市延安西路593號 200050
網址 www.shshuhua.com
E-mail shcpph@online.sh.cn
印刷 上海界龍藝術印刷有限公司
經銷 各地新華書店
開本 889×1194mm 1/12
印張 3 2/3
版次 2013年8月第1版
2021年1月第12次印刷

書號 ISBN 978-7-5479-0657-6
定價 36.00元

圖書在版編目（CIP）數據

鍾繇小楷/上海書畫出版社編. ——上海：上海書畫出版社，2013.8
（中國碑帖名品）
ISBN 978-7-5479-0657-6
Ⅰ.①鍾… Ⅱ.①上… Ⅲ.①楷書—法帖—中國—三國時代
Ⅳ.①J292.23
中國版本圖書館CIP數據核字（2013）第186620號